Oso quiere más

A mi esposo y mejor amigo, Scott,
a quien le encanta lo que cocino y siempre quiere más
— K. W.

A Tim y Noah, con amor
— J. C.

Originally published in English as *Bear Wants More* by Margaret K. McElderry Books,
an imprint of Simon & Schuster Children's Publishing Division.

Translated by Eida de la Vega

ISBN 978-0-545-61464-1

12 11 10 9 8 7 6 5 4 3 2 1   13 14 15 16 17 18/0

Printed in the U.S.A.   08

First Scholastic Spanish printing, September 2013

The text of this book is set in Adobe Caslon.

The illustrations were rendered in acrylic paint.

Oso quiere más

Karma Wilson

ilustraciones de Jane Chapman

SCHOLASTIC INC.

El primer día de primavera
un oso se levanta.
Ha dormido todo el invierno
¡y tiene un hambre que espanta!

Se arrastra en cuatro patas
y sale de su guarida.
Busca raíces y brotes
que le sirvan de comida.

Come y come sin parar,

parece que va a reventar.

¡Pero
el oso
quiere más!

Ratón pasa caminando
e invita a Oso a merendar.
—¡Ven conmigo, que las fresas
acaban de madurar!

Ratón trepa con su cesta
al fuerte lomo de Oso.
Los dos están muy contentos,
comerán algo sabroso.

Se atracan de dulces fresas, ¡que están jugosas y gruesas!

¡Pero el oso quiere más!

Ha llegado el mediodía,
Liebre se acerca gozoso.
—Buenos días, Ratón.
¿Cómo estás, amigo Oso?

—¡Tengo HAMBRE! —ruge Oso.
—Ven —dice Liebre sereno—.
Hay un campito de trébol
junto al álamo del sendero.

Se comen todo el almuerzo,
sin poner mucho esfuerzo.

¡Pero
el oso
quiere más!

Pasa Tejón por allí
con su caña de pescar.
—En el lago hay muchos peces
que podemos atrapar.

Se dirigen a la orilla
y se sientan a esperar.
Oso atrapa un pececito…

¡pero
todavía
quiere
más!

Mientras tanto...
a la guarida de Oso han llegado
Ave, Cuervo, Topo y Marmota,
y parece que algo han planeado.

Hornean pasteles de miel
y decoran con muchas flores.
¡Es una fiesta de primavera!
¡Y Oso hará los honores!

La panza se frota Oso.
Algo huele DELICIOSO…

¡Y todavía quiere más!

Oso olfatea y husmea
la suave y dulce brisa.
Su nariz lo va guiando
¡y llega a casa deprisa!

Sus amigos gritan "¡SORPRESA!"
cuando lo ven llegar.
Pero Oso está TAN gordo...

¡que en la casa no puede entrar!

Oso gime apesadumbrado:
—En la puerta de mi casa,

¡como un tonto
me he atorado!

—Pobre Oso —chilla Ratón—,
en la puerta se ha atascado.
Liebre hala, Cuervo empuja
y Topo un hueco ha cavado.

Tejón agarra un palo
y lo usa de palanca…

y de la puerta a Oso,
de un fuerte tirón arranca.

Como Oso ENGORDÓ, la fiesta al patio pasó.

¡Y él todavía
quiere
más!

Oso abre los regalos
y traga muchos pasteles.
Come TANTO, TANTO,
que la panza le duele.

Se acurruca en la hierba,
ronca alto y sin parar.
Está lleno, repleto…

pero…
¡sus amigos
quieren más!